Chantez Plus Fort!

20 French Songs

**Rosemary Bevis, Martial Romanteau
and Ros Hopwood**

Brilliant Publications

What's in this resource?

The two CDs contain:

❖ 20 songs, sung by French children

❖ Instrumental tracks for the 16 original songs

❖ Mini-dialogues after some of the songs, which can be used for listening comprehension and role-plays

The book contains:

❖ Teacher's notes

❖ Photocopiable illustrated song sheets. The illustrations can be used to make flashcards and worksheets

❖ Photocopiable music sheets, including guitar chords

❖ Scripts for the mini-dialogues

❖ English translations of all the songs

Acknowledgements

The publishers and authors would like to thank the following children for their help in recording the songs: Alexandre, Amandine, Anne, Elise, Florian, Jérémie, Manon, Manu, Marion and Perrine.

Published by Brilliant Publications, Unit 10, Sparrow Hall Farm, Edlesborough, Dunstable, Bedfordshire LU6 2ES

Sales, payments and stock enquiries:
Tel: 01202 712910
Fax: 0845 1309300
email: brilliant@bebc.co.uk
website: www.brilliantpublications.co.uk

General information enquiries:
Tel: 01525 222292

The name Brilliant Publications and the logo are registered trademarks.

Words and lyrics by Rosemary Bevis
Songs composed by Martial Romanteau
Illustrated by Ros Hopwood

Printed in the UK

© Brilliant Publications 2002. © Rosemary Bevis (words), Martial Romanteau (music), Ros Hopwood (illustrations) 2002

ISBN 978 1 903853 37 5
(This book is sold together with 2 CDs; the book and CDs are not available separately.)

First published 2002, reprinted 2003, 2005, 2006, 2007, 2008.
10 9 8 7 6

The right of Rosemary Bevis, Martial Romanteau and Ros Hopwood to be identified as the authors of this work has been asserted by them in accordance with the Copyright, Designs and Patents Act 1988.

Contents

Teacher's notes

These songs were written specifically to aid in the teaching of French in primary schools, and are also relevant to Key Stage 3. They link to the QCA guidelines/Key Stage 2 scheme of work.

Why use songs ?
- Starting the lesson with a song attunes the brain to the language.
- The use of songs and poems enhances the National Literacy Strategy.
- Songs are an enjoyable, natural and stress-free way to learn the rhythm of language, intonation and pronunciation, as well as embed complex structures, such as questions and answers.
- Songs combine naturally with drama.
- Songs can be learned just for fun.

Using songs – a few ideas
- Clap, stamp, tap the rhythm or the beat of key lines or whole verses.
- Hum to the song (or 'la') – loudly then softly.
- You say a line – children clap the rhythm (beat) or the syllables; count the syllables.
- Invent actions – associating words with actions hastens learning.
- Use for games in which children move round the room, eg Stations (Quatre coins).
- Listen for specific repeated sounds and perform a physical response, eg tap your nose, hold up a card (picture, sound or word) or pass on an object.
- Children accompany the song with their own instruments, with or without the CD.

Learning the words
- Do not expect children to sing the whole song at once – first listen many times.
- Use prompts such as props, picture cards or illustrated copies of the song on OHP.
- Learn the chorus; choose interesting/difficult/ amusing key words or lines to practise; use to play favourite games, eg La Hola (Mexican wave) – each child in turn says a given word in a short sequence or line from the song.
- Learn the song one line at a time, using a backward or forward build-up technique.
- Pause the CD for a moment for children to sing a word then continue the song, the children will hear the correct version for immediate reinforcement.
- Turn down the sound for a bar or line, then turn it up again to see if their singing still corresponds to the CD.
- Divide the class into groups – they hum or clap or sing the chorus, according to groups.
- Children sing the song, with groups taking different parts.

- Have a singing competition between groups.
- Learn and use as a basis for role-plays, eg Song 2.

Playing with text
- Sequence correctly … pictures, words, lines or verses while listening to the song.
- Group together words with the same sounds or number of syllables.
- On the OHP show the text and pictures, and have the children supply missing words.
- Progress to the children drawing or writing in missing words on individual song sheets.
- Make a frieze or display of the song – the children illustrate it and add written or word-processed captions, or lines from the song.
- The children make up new verses or songs, using familiar language. Use the children's own illustrations as prompts.

1   Bonjour, ça va ! (Greetings)
- Prepare flashcards from the illustrations to show happy, sad and so-so at the appropriate moment in the song, or do thumbs up, thumbs down or so-so gestures. Progress to children giving the correct greeting in response to the flashcards or gestures.
- The children stand face to face with partners and mime or sing the greeting; between the verses they move round the room to face new partners. This can be done in two circles, each moving in a different direction.
- Use the song as a basis for puppet conversations, working in pairs.

2   Quel âge as-tu ? (Names and ages)
- Place the children in groups of four and give each group a set of cards with the names and ages of the children in the song; they listen and hold up the appropriate card.
- Pass a pebble or soft toy round the group, singing or clapping the rhythm of the first two lines. The child holding the toy each time then sings or says their name and age.
- You or your puppet supply the information to complete the last verse, then replay for volunteers to do so.
- Play Oranges and Lemons – as a child is caught they say their age.

3   Nous allons compter ! (Numbers)
- Learn this song a verse at a time, according to the numbers you wish to teach.
- Set up a clapping sequence to fit the line Nous allons compter – children clap thighs; clap hands together; clap hands to partner's; then sing the groups of numbers, which can be held up on cards as prompts.

❖ Verses 2–4: Children mime and sing this musical story, to start helping them learn numbers out of sequence. For each line they hold up the correct number of fingers; make the shape of an apple; mime putting it in the basket; at the end make an air picture of a huge caterpillar.

4 C'est combien ? (Numbers and maths)
❖ Learn one verse at a time, use as a basis for mental maths warm-up.
❖ Give each child a number or maths sign from the verse, to hold up as they hear it.
❖ Follow up by playing a game with one or two large sponge dice: children take turns to throw the dice and ask the sum of the two numbers; the dice then pass to whoever answers.

5 Voici les sept jours de la semaine (Days of the week)
❖ Set up a hand jive or clapping rhythm to accompany the song.
❖ Pause the CD for children to supply missing days.
❖ Progress to showing day text cards; hide one and ask which is missing; show day text cards out of sequence for the children to read and re-sequence.
❖ Children hold a day text card, standing in a circle: they jump into or out of the circle as they hear 'their' day.

6 Quelle est la date ? (Months, dates and birthdays)
❖ Children jump up (or sit down) as they hear their own birthday months.
❖ Use month text cards for work on sounds. For example, play I-spy – *Je pense à un mois qui commence par* j … j*uin;* identify months with rhyming sounds, eg ã … j*an*vier, sept*em*bre.

7 Comment ça s'écrit ? (Part A – alphabet; Part B – spelling)
❖ Accompany with a clapping sequence, eg clap hands together, then tap thighs, etc.
❖ Children jump up or sit down as they hear the initial letters of their names.
❖ Volunteers spell their own names to complete the final verse of the song.
❖ In pairs, children write letters in the air or make letters with their bodies. Progress to spelling familiar or famous people's names for partners to guess.
❖ Play spell and guess games with known language (spell silent letters in a whisper).

8 Les couleurs (Shapes, colours and sizes)
❖ Give the children a selection of coloured shapes to hold up when they hear them.
❖ Use the shapes to make pictures; then count the different coloured shapes used.
❖ Use the coloured shapes to play favourite games, eg Kim's game; Guess the card.
❖ Use the vocabulary in maths work with sets, geometrical shapes and symmetry.

9 La famille Souris (Family)
❖ This song can be used to teach basic vocabulary on families, eg *j'ai un frère/une soeur*, or for progression to extension work with *il/elle s'appelle* and further adjectives.
❖ Make a family tree *(un arbre généalogique)* for the mouse family. Children could use it as a model to create imaginary family trees, eg using monsters of different colours and shapes.
❖ Use the song for further work on adjectives: you could have puppet role-plays in the style of an adjective for the class to guess, eg *méchant* (naughty) or *sympa* (kind).

10 Footfoot, tu as un animal ? (Pets)
❖ Footfoot is the nickname of the child questioned in the song. The normal spelling of Footfoot, which is pronounced the same way, is *fou-de-foot* (mad about football).
❖ This song can be mimed throughout, including pointing to self on *J'ai* and making the shape of a giant heart in the air for *J'aime les animaux*.
❖ Miming games, eg you say an animal, the children mime it; progress to the children miming animals for the rest of the group to guess. Children can use the mimes from the song to depict sentences about animals they have (or love), for the rest of the class to say aloud.
❖ Introduce other animals by making up a version of 'Old Macdonald' or have the children use the instrumental track to create a version of the song using zoo animals, with the name of a member of the class replacing '*Footfoot*'.

11 Je me présente (Myself – including preferences and pastimes)
❖ Use to consolidate everything the children have learned to say about themselves, with extension to opinions about a few hobbies, and progression to reading and writing familiar language.
❖ Children work in pairs: distribute pictures of the three characters for children to sequence correctly as they hear them; replay the song for children to point to the appropriate symbols; pause the CD for children to supply the words; progress to providing a song sheet with the symbols blanked out for children to draw in.

- Progress to providing the key words from the text on individual cards – children hold them up as they hear the words; they re-sequence a line; they re-sequence verses and match to pictures.
- Use as the basis for children to conduct interviews, eg in the school. Adapt the text to write about themselves to e-mail partners.

12 Miam, miam, c'est délicieux ! (Food and drink)

- This song can simply be used to reinforce politeness in a meaningful context.
- Ideal for singing in parts and using as a basis for role-play, eg as a preparation for an end of year Bastille Day party. (Bastille Day is a French national holiday, held on14 July, celebrating the fall of the Bastille and the start of the French Revolution.)

13 Jacques a dit (Classroom instructions)

- Learn this song in sections, to teach the basic classroom instructions, with children performing the actions as they hear them sung. Use them in class and as PE warm-up.
- Play *Jacques a dit* (Simon Says) frequently; progress to children calling out the instructions as you indicate the pictures; volunteers can take over the game.
- Display posters or flashcards made from the illustrations (see pages 34–35) and sometimes have the children respond to the text only.

14 La chanson du non-sens (Nonsense song; links to literacy)

- Clap the syllables; 'la' or sing the key sound of the verse on every syllable. The key sounds are in bold on the song sheet.
- Use to develop sound recognition, one verse at a time: speak or play the verses, one line at a time, for the children to make a physical response every time they hear the key sound, eg ch – put fingers to lips. Other physical actions might be: pass an object around the room or group; place a multilink cube on a tower; tick a box; take a step forward, etc. Children can respond to two sounds, with a different physical response for each, eg verse 7 - M – point to chin, è – hands on shoulders.
- Make cards of individual words. Ask children to find rhyming words.
- Play a game where children bring you the word cards containing the key sound to begin a Sound Bank; underline the key sounds in each verse in a rhyming colour, eg verse 1: eu … bleu;
- Learn a verse, to say or sing; make up new rhymes or songs by re-ordering verses.
- See CILT Young Pathfinder 9 – *The Literacy Link*, by Catherine Cheater and Anne Farren, for further ideas.

15 La chanson des listes (Part A – classroom items; Part B – weather)

- Part A – This repetition song provides reinforcement of vocabulary in a meaningful context and is a wonderful opportunity for keen volunteers to lead the class. They can hold up flashcards or put items into a bag as they hear them; they can soon take over and adapt the song – using the instrumental track they hold up and sing items in any order, for the other children to repeat.
- Part B – You can teach one verse at a time, according to the season.
- Adapt the song to provide a meaningful context for vocabulary of any theme.

16 Quelle heure est-il ? (Telling the time)

- The song concentrates on times on the hour, however verse 2 contains the half-hour.
- Encourage the children to join in the chorus of hours as you show the times on a cardboard clock; play a game where the children guess the time set on the clock.

17 Vive le vent (Jingle bells) – traditional (Festivals: Christmas)

- Children will quickly join in the chorus; the song fits well into a Christmas concert.
- The song can be used to introduce a few winter weather phrases and seasonal words.

18 Ma mère ma donné un petit chat – traditional (My mother gave me a little cat)

- Combines family and pets – the story of a dreadful present: have three children mime the characters.
- Divide the class into groups to sing a new line each, while the whole class joins in the chorus lines. Show the pictures as prompts, on cards or OHP.

19 C'est Gugusse – traditional (Dance)

- Choose a child, to mime *Gugusse* playing the three different instruments, and a child to be the admonishing father; the rest of the class jump up and dance when the girls, then boys, are mentioned.
- The song can be used for dancing and for an end of year party.

20 Sur le pont d'Avignon – traditional (Festivals, dance, culture)

- Children invent mimes for the different characters; each group can take a different part. All can dance together in the chorus, dancing round with a partner or in a circle.
- The song can be used for dancing and for an end of year party.

Bonjour, ça va?

1 Bonjour, ça va ?
Salut, ça va ?
Ça va, ça va, ça va !
Ça va, ça va, ça va !

2 Ça va bien !
Ça va bien !
Ça va, ça va, ça va bien !
Ça va, ça va, ça va bien !

3 Comme ci, comme ça !
Comme ci, comme ça !
Ça va, comme ci, comme ça !
Ça va, comme ci, comme ça !

4 Ça ne va pas !
Ça ne va pas !
Ça ne va, ça ne va, ça ne va pas !
Ça ne va, ça ne va, ça ne va pas !

5 Ça va mal !
Ça va mal !
Ça va, ça va, ça va mal !
Ça va, ça va, ça va mal !

6 Bonjour, ça va ?
Salut, ça va ?
Au revoir, au revoir, au revoir !
Au revoir, au revoir, au revoir !

Chanson 1 un

Bonjour, ça va?

Rosemary BEVIS et Martial ROMANTEAU

- - - - - - - - - - Bon - jour, ça va?

Sa - lut, ça va? Ça va, ça va, ça va! Ça va, ça va, ça va!

Chanson 2 deux

Quel âge as-tu?

Rosemary BEVIS et Martial ROMANTEAU

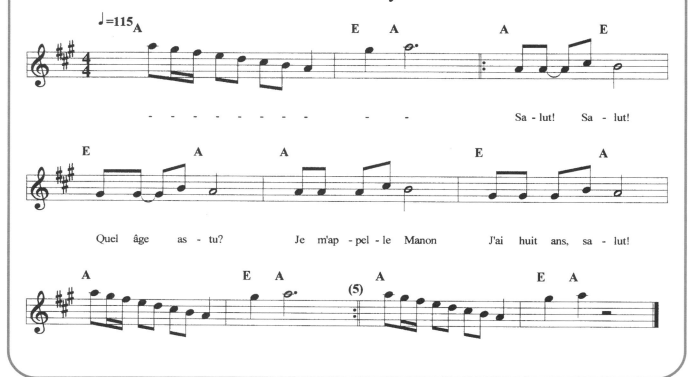

- - - - - - - - - Sa - lut! Sa - lut!

Quel âge as tu? Je m'ap - pel - le Manon J'ai huit ans, sa - lut!

Chantez Plus Fort!

Quel âge as-tu?

1 Salut ! Salut !
Quel âge as-tu ?
Je m'appelle Manon
J'ai huit ans, salut !

J'ai 8 ans.

J'ai 9 ans.

2 Salut ! salut !
Quel âge as-tu ?
Je m'appelle Alex
J'ai neuf ans, salut !

J'ai 10 ans.

3 Salut ! salut !
Quel âge as-tu ?
Je m'appelle Marion
J'ai dix ans, salut !

J'ai 11 ans.

4 Salut ! salut !
Quel âge as-tu ?
Je m'appelle Lucien
J'ai onze ans, salut !

5 Salut ! salut !
Quel âge as-tu ?

_____

_____

Nous allons compter! (Partie A)

1 *Nous allons compter !*
Un, deux, trois,

1, 2, 3

Nous allons compter !
Quatre, cinq, six,

4, 5, 6

Nous allons compter !
Sept, huit, neuf,

7, 8, 9

Nous allons compter !
Dix, onze, douze.

10, 11, 12

2 Dix pommes rouges
dans un panier,

10 dix

Neuf pommes rouges
dans un panier,

9 neuf

Huit pommes rouges
dans un panier,

8 huit

Sept pommes rouges
dans un panier,

7 sept

3 Six pommes rouges
dans un panier,

6 six

Cinq pommes rouges
dans un panier,

5 cinq

Quatre pommes rouges
dans un panier,

4 quatre

Trois pommes rouges
dans un panier,

3 trois

4 Deux pommes rouges
dans un panier,

2 deux

Une pomme rouge
dans un panier,

1 une

Pas de pommes rouges
dans un panier,

Une grosse chenille
dans le panier !

Chantez Plus Fort!

Nous allons compter! (Partie B)

5 *Nous allons compter !*
Treize, quatorze,

13, 14

Nous allons compter !
Dix-sept, dix-huit,

17, 18

Nous allons compter !
Quinze, seize,

15, 16

Nous allons compter !
Dix-neuf, vingt.

19, 20

6 *Nous allons compter !*
Vingt et un, vingt-deux,

21, 22

Nous allons compter !
Vingt-six, vingt-sept, vingt-huit,

26, 27, 28

Nous allons compter !
Vingt-trois, vingt-quatre, vingt-cinq,

23, 24, 25

Nous allons compter !
Vingt-neuf et trente...trente et un !

29, 30, 31

7 *Nous allons compter !*
Dix, vingt, trente,

10, 20, 30

Nous allons compter !
Soixante-dix,

70

Nous allons compter !
Quarante, cinquante, soixante,

40, 50, 60

Nous allons compter !
Quatre vingts.

80

8 *Nous allons compter !*
Quatre-vingt-dix,

90

Nous allons compter !
Quatre-vingt-dix-neuf,

99

Nous allons compter !
Quatre-vingt-quinze,

95

Nous allons compter !
Jusqu'à cent.

100

Nous allons compter!

Rosemary BEVIS et Martial ROMANTEAU

Nous al - lons comp - ter!

Un, deux, trois, Nous al - lons comp - ter! Quatre, cinq, six,

Nous al - lons comp - ter! Sept, huit, neuf, Nous al - lons comp - ter!

Dix, onze, douze.

12

Chantez Plus Fort!

C'est combien?

1 Deux et deux font quatre,
Trois et trois font six,
Quatre et quatre font huit,
Cinq et cinq font dix.

$2 + 2 = 4$
$3 + 3 = 6$
$4 + 4 = 8$
$5 + 5 = 10$

C'est combien ? C'est combien ? C'est combien ?

2 Douze moins deux font dix,
Vingt moins cinq font quinze,
Quinze moins quatre font onze,
Seize moins trois font treize.

$12 - 2 = 10$
$20 - 5 = 15$
$15 - 4 = 11$
$16 - 3 = 13$

C'est combien ? C'est combien ? C'est combien ?

3 Deux fois cinq font dix,
Deux fois dix font vingt,
Quatre fois quatre font seize,
Trois fois dix font trente.

$2 \times 5 = 10$
$2 \times 10 = 20$
$4 \times 4 = 16$
$3 \times 10 = 30$

C'est combien ? C'est combien ? C'est combien ?

4 Dix divisé par deux font cinq,
Neuf divisé par trois font trois,
Quinze divisé par cinq font trois,
Seize divisé par quatre font quatre.

$10 \div 2 = 5$
$9 \div 3 = 3$
$15 \div 5 = 3$
$16 \div 4 = 4$

C'est combien ? C'est combien ? C'est combien ?

$2 \times 5 = 10$

$2 + 2 = 4$

$10 \div 2 = 5$

$12 - 2 = 10$

Chanson 4 quatre

C'est combien?

Rosemary BEVIS et Martial ROMANTEAU

Chantez Plus Fort!

Voici les sept jours de la semaine

Voici les sept jours, les sept jours de la semaine
Voici les sept jours de la semaine,

Lundi, mardi, mercredi, jeudi, vendredi, ça va !
Samedi, c'est super ! Dimanche est génial !

Lundi, mardi, mercredi, jeudi, vendredi, samedi
et dimanche !

(répétez 2 fois)

Voici les sept jours de la semaine

Rosemary BEVIS et Martial ROMANTEAU

♩=120

Voi - ci les sept jours, les sept jours de la se - mai - ne Voi - ci les sept jours de la se - maine,

Lun - di, mar - di, mer - cre - di, jeu - di, ven - dre - di, ça va! Sam' - di, c'est su - per!

Di - manche, c'est gé - nial! Lun - di, mar - di, mer - cre - di, jeu - di, ven - dre - di, sam' - di

et di - manche!

Chantez Plus Fort!

Quelle est la date?

 janvier

 février

 mars

 avril

 mai

 juin

 juillet

 août

 septembre

 octobre

 novembre

 décembre

Janvier, février et mars,
Avril, mai et juin,
Juillet, août, septembre,
Octobre, novembre, décembre.

1 Quelle est la date de ton anniversaire ?
Janvier, février et mars,
Mon anniversaire est le douze février.

2 Quelle est la date de ton anniversaire ?
Avril, mai et juin,
Mon anniversaire est le vingt et un
avril.

3 Quelle est la date de ton anniversaire ?
Juillet, août, septembre,
Mon anniversaire est le quatorze juillet.

4 Quelle est la date de ton anniversaire ?
Octobre, novembre, décembre,
Mon anniversaire est le dix-sept
novembre.
(Refrain)

Youpi, youpi !

Quelle est la date?

Rosemary BEVIS et Martial ROMANTEAU

Chantez Plus Fort!

Comment ça s'écrit? (Partie 1)

❶ A B C c c
Voici l'alphabet
A B C c c, A B C

❷ D E F g g
L'alphabet français
D E F g g, D E F g

❸ H I J j j
Comment ça s'écrit - hi - hi ?
H I J j j, H I J

❹ K L M N o
Miam, miam, le gâteau
K L M N o, K L M N o

❺ P Q R s t
Une bonne tasse de thé
P Q R s t, P Q R s t

❻ U V w
Du chocolat, s'il vous plaît
U V w, U V w

X Y Z . X Y Z

Comment ça s'écrit? (Partie 2)

7 Comment t'appelles-tu ?
Je m'appelle Gigi
Comment ça s'écrit ?
G - I - G - I
Je m'appelle Gigi

8 Comment tu t'appelles ?
Je m'appelle Henri
Comment tu l'écris ?
H - E - N - R - I
Je m'appelle Henri

9 Comment t'appelles-tu ?
Je m'appelle Claire
Comment ça s'écrit ?
C - L - A - I - R - E
Je m'appelle Claire

10 Comment tu t'appelles ?
Je m'appelle Patrick
Comment tu l'écris ?
P - A - T - R - I - C - K
Je m'appelle Patrick

11 Comment t'appelles-tu ?

Je m'appelle _____
Comment ça s'écrit ?

__ - __ - __ - __ - __ - __ - __ - __

Je m'appelle __ __ __ __ __ __ __ __

Chantez Plus Fort!

Comment ça s'écrit?

Rosemary BEVIS et Martial ROMANTEAU

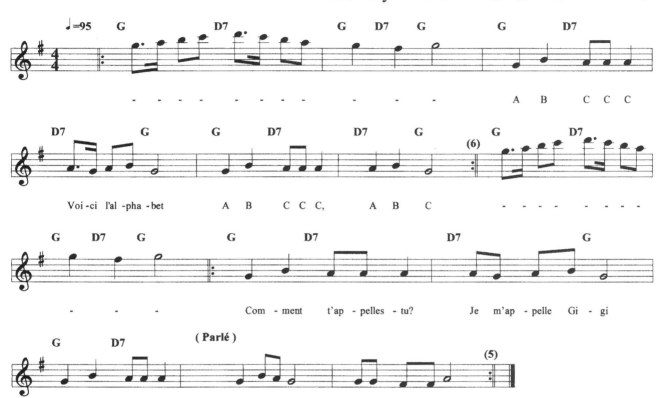

♩=95

A B C C C

Voi -ci l'al -pha -bet   A   B   C   C   C,   A   B   C

Com - ment   t'ap - pelles - tu?   Je   m'ap - pelle   Gi - gi

(Parlé)

Com -ment   ça s'é -crit?   G - I - G - I   Je m'ap -pelle Gi -gi

Les couleurs

1 Montrez-moi un petit triangle rouge ...
Montrez-moi un petit rectangle bleu ...
Montrez-moi un petit cercle noir ...
Montrez-moi un petit carré violet ...

Un arc-en-ciel est de quelle couleur ?
Rouge, orange, jaune, vert, bleu et violet.

2 Montrez-moi un grand triangle rose ...
Montrez-moi un grand rectangle blanc ...
Montrez-moi un grand cercle jaune ...
Montrez-moi un grand carré vert ...
(Refrain)

Voilà, voilà, voilà

3 Coloriez les petits triangles en rose ...
Coloriez les petits rectangles en bleu ...
Coloriez les petits cercles en noir ...
Coloriez les petits carrés en vert ...
(Refrain)

4 Coloriez les grands triangles en rouge ...
Coloriez les grands rectangles en vert ...
Coloriez les grands cercles en jaune ...
Coloriez les grands carrés en bleu ...
(Refrain)

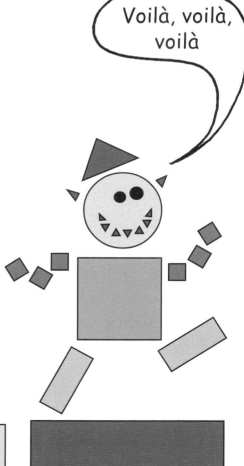

un triangle

un rectangle

un cercle

un carré

Chantez Plus Fort!

Les couleurs

Rosemary BEVIS et Martial ROMANTEAU

Mon - trez - moi un pe - tit tri - an - gle rou - ge... Voi - là, voi - là, voi - là Mon - trez - moi un pe - tit rec - tan - gle bleu... Voi - là, voi - là, voi - là Mon - trez - moi un pe - tit cer - cle noir... Voi - là, voi - là, voi - là Mon - trez - moi un pe - tit car - ré vio - let... Voi - là, voi - là, voi - là Un arc - en - ciel est de quel - le cou - leur? Rouge, o - ran - ge, jau - ne, vert, bleu et vio - let.

La famille Souris

1
J'habite dans une petite maison,
Je suis une petite souris,
J'habite dans une petite maison,
Avec ma grande famille.

2
J'ai une sœur et j'ai un frère,
Oh, oui, dans ma famille Souris,
J'aime mon frère et j'aime ma sœur,
Voici ma famille Souris.

3
Voilà ma sœur, elle est petite,
Et elle s'appelle Mimi,
Elle est belle, elle est méchante,
Voici ma petite sœur Souris.

4
Voilà mon frère, il est très grand,
Et il s'appelle Jean-Louis,
Il est beau, il est intelligent,
Voici mon grand frère Souris.

5
Voilà Papa, il est sympa,
Et il s'appelle Henri,
Voilà Maman, elle est charmante,
Et elle s'appelle Marie.

6
Mon grand-père et ma grand-mère,
Ma mère et mon père souris,
Mon oncle, ma tante, mes cousins souris,
Voici ma famille Souris.

Chantez Plus Fort!

La famille Souris

Rosemary BEVIS et Martial ROMANTEAU

♩=92

Dm C G C C Am Dm G7

- - - - - - - - - - J'ha -bite dans une pe - tite mai - son,

C Am FM7 G7 C Am Dm G7 C F G7 C

Je suis une pe - tite sou - ris, J'ha -bite dans une pe - tite mai - son, A - vec ma gran -de fa - mille.

Dm C G C C Am Dm G7

- - - - - - - - - - J'ai u - ne soeur et j'ai un frère,

C Am FM7 G7 C Am Dm G7

Oh, oui, dans ma fa - mille Sou - ris, J'ai -me mon frère et j'aime ma soeur,

C F G7 C

(3)

Voi -ci ma fa - mille Sou -ris.

Footfoot, tu as un animal?

1 Footfoot, tu as un animal à la maison ?
J'ai un grand cheval marron
J'ai un grand cheval marron !

Oh! oh! J'ai, j'ai, j'ai un animal -mal -mal,
J'aime, j'aime, j'aime les animaux !

2 Footfoot, tu as un animal à la maison ?
J'ai, j'ai deux petits chiens noirs
J'ai, j'ai deux petits chiens noirs !
(Refrain)

3 Footfoot, tu as un animal à la maison ?
J'ai, j'ai trois grands chats tigrés
J'ai, j'ai trois grands chats tigrés !
(Refrain)

4 Footfoot, tu as un animal à la maison ?
J'ai quatre petits oiseaux jaunes
J'ai quatre petits oiseaux jaunes !
(Refrain)

5 Footfoot, tu as un animal à la maison ?
J'ai, j'ai cinq grands lapins gris
J'ai, j'ai cinq grands lapins gris !
(Refrain)

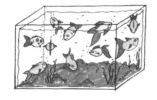

6 Footfoot, tu as un animal à la maison ?
J'ai beaucoup de poissons rouges
J'ai beaucoup de poissons rouges !
(Refrain)

7 Footfoot, tu as un animal à la maison ?
J'ai beaucoup de poissons rouges
J'ai, j'ai cinq grands lapins gris
J'ai quatre petits oiseaux jaunes
J'ai, j'ai trois grands chats tigrés
J'ai, j'ai deux petits chiens noirs
J'ai un grand cheval marron !
(Refrain)

J'aime, j'aime, j'aime les animaux !

Chantez Plus Fort!

Footfoot, tu as un animal?

Rosemary BEVIS et Martial ROMANTEAU

Je me présente

1

Je m'appelle Mark et j'ai dix ans,
J'habite à Leeds en Angleterre,
Mon anniversaire est le cinq mai,
J'aime le rouge et le violet.

Moi, j'ai une soeur et j'ai un frère,
J'ai un lapin et un cobaye,
J'aime mon vélo,
J'aime dessiner,
Mais je n'aime pas du tout danser !

2

Je m'appelle Claire et j'ai neuf ans,
J'habite à Besançon en France,
Mon anniversaire est le quinze mars,
J'aime le rouge et le violet.

Moi, j'ai un frère, je n'ai pas de soeur,
J'ai un petit chat et un hamster,
J'aime la musique,
J'aime la lecture,
Mais je n'aime pas du tout danser !

3

Je m'appelle Anne et j'ai onze ans,
J'habite à Glasgow en Ecosse,
Mon anniversaire est le seize août,
J'aime le rouge et le violet.

Moi, j'ai deux soeurs, je n'ai pas de frère,
J'ai deux grands chiens et cinq poissons,
J'aime la télé,
J'aime le football,
Mais je n'aime pas du tout danser !

Chantez Plus Fort!

Je me présente

Arr.traditionnel d'après ma mère m'a donné

Je m'ap -pelle Mark et j'ai dix ans, J'ha -bite à Leeds en An -gle - ter - re, Mon an -ni -ver -

- saire est le cinq mai, J'ai -me le rouge et le vio - let. Moi, j'ai une

soeur et j'ai un frère, J'ai un la - pin et un co - ba - ye, J'aime mon vé -

1.2.
3.

- lo, J'aime des -si - ner, Mais je n'aime pas du tout dan - ser! ser!

Miam, miam, c'est délicieux!

1 Bonjour, Madame, vous désirez ?
Je voudrais un sandwich,
un sandwich, s'il vous plaît.
Voilà Madame, c'est tout ?
Oui, c'est tout, merci.

Miam, miam, c'est délicieux, les glaces,
les croissants, les gâteaux et les bonbons,
Miam, miam, c'est délicieux, les glaces,
les croissants, les gâteaux et les bonbons.

2 Bonjour, Monsieur, vous désirez ?
Je voudrais un soda,
un soda, s'il vous plaît.
Voilà Monsieur, c'est tout ?
Oui, c'est tout, merci.
(Refrain)

3 Bonjour, Mademoiselle, vous désirez ?
Je voudrais un croissant,
un croissant, s'il vous plaît.
Voilà Mademoiselle, c'est tout ?
Oui, c'est tout, merci.
(Refrain)

4 Bonjour, Monsieur, vous désirez ?
Je voudrais un gâteau,
un gâteau, s'il vous plaît.
Voilà Monsieur, c'est tout ?
Oui, c'est tout, merci.
(Refrain)

Chantez Plus Fort!

Miam, miam, c'est délicieux!

Rosemary BEVIS et Martial ROMANTEAU

Bon - jour, Ma - dame, vous dé - si - rez? Je vou - drais un sand - wich,

un sand - wich s'il vous plaît. Voi - là Ma - dame, c'est tout?

Oui, c'est tout, mer - ci. Miam, miam, c'est dé - li - cieux, les

gla - ces, les crois - sants, les gâ - teaux et les bon - bons, Miam, miam, c'est dé - li -

- cieux, les gla - ces, les crois - sants, les gâ - teaux et les bon - bons.

teaux et les bon - bons.

Jacques a dit

Ooh ! Levez-vous, ooh! levez-vous,

Asseyez-vous, asseyez-vous,

Regardez-moi, regardez-moi, Moi

Taisez-vous *, écoutez bien!*

1 Levez la main , baissez la main ,

Fermez les yeux , ouvrez les yeux ,

Croisez les bras et taisez-vous ,

Écoutez bien  et répétez .

(Refrain)

2 Répondez oui ou non , Touchez la table ,

Vous comprenez  ? Je ne comprends pas ,

Trouvez un partenaire  , dépêchez-vous ,

Asseyez-vous correctement .

(Refrain)

Chantez Plus Fort!

Jacques a dit

Ooh ! Levez-vous, ooh! levez-vous,

Asseyez-vous, asseyez-vous,

Regardez-moi, regardez-moi,  Moi

Taisez-vous , écoutez bien!

3 Prenez un stylo , écrivez bien ,

Prenez un crayon 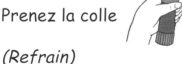 et dessinez ,

Prenez des ciseaux , découpez droit  ,

Prenez la colle , c'est bien collé .

(Refrain)

4 Fermez les livres , rangez la table

Debout la classe, poussez les chaises ,

Sortez de la classe , tout doucement ,

Au revoir tout le monde, au revoir, au revoir.

(Refrain)

Jacques a dit

1	2	3	4
Levez-vous	Asseyez-vous	Taisez-vous	Écoutez bien
5	6	7	8
Levez la main	Baissez la main	Fermez les yeux	Ouvrez les yeux
9	10	11	12
Répondez oui	Répondez non	Touchez la table	Trouvez un partenaire

Chantez Plus Fort!

Jacques a dit

13	14	15	16
Asseyez-vous correctement	Prenez un stylo	Écrivez bien	Prenez un crayon
17	**18**	**19**	**20**
Dessinez	Prenez des ciseaux	Découpez droit	Prenez la colle
21	**22**	**23**	**24**
Collez bien	Fermez les livres	Croisez les bras	Dites au revoir

Chantez Plus Fort!

Jacques a dit

Rosemary BEVIS et Martial ROMANTEAU

Ooh! Le-vez - vous, ooh! le-vez-vous, As-se-yez-vous, as-se-yez-vous, Re-gar-dez - moi, re-gar-dez-moi, Tai-sez-vous, é-cou-tez bien!

Le - vez la main, bais - sez la main, Fer - mez les yeux, ou - vrez les yeux, Croi - sez les bras et tai-sez - vous, É - cou-tez bien et ré-pé - tez.

Ooh! Le-vez - vous, ooh! le-vez-vous, As-se-yez - vous, as-se-yez-vous, Re-gar-dez - moi, re-gar-dez-moi, Tai-sez-vous, é - cou-tez bien!

Chantez Plus Fort!

La chanson du non-sens

1 Bonjour le garçon et le violon,
Onze crayons, onze crayons,
Trois oignons sur un petit saucisson,
Un lion à la maison.

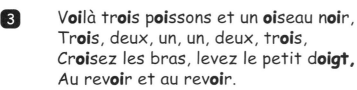

2 Je suis un singe et j'aime le judo,
Bonjour Jean, bonjour Jean,
J'ai le nez rouge et j'ai mal au genou,
J'ai dix ans. Quel âge as-tu?

3 Voilà trois poissons et un oiseau noir,
Trois, deux, un, un, deux, trois,
Croisez les bras, levez le petit doigt,
Au revoir et au revoir.

4 Dans un grand chou il y a une chenille,
Sur une chaise, sur une chaise,
Le petit cochon porte un chapeau chaud,
Des chaussettes sur un chien.

5 Joyeux Noël, Bonne Année, Meilleurs voeux !
Un grand jeu, un grand jeu,
Joyeuses Pâques et dix-neuf petits oeufs
Deux yeux bleus dans mes cheveux!

6 Avec ma famille je vais à Paris,
En taxi, en taxi,
Lundi j'ai ri à un panier de riz,
Un lion mange un biscuit.

Chantez Plus Fort!

La chanson du non-sens

7 Voilà mon fr**è**re, qui mange tr**ei**ze écla**i**rs,
Bonne F**ê**te, Bonne F**ê**te!
M**e**rci mon p**è**re et m**e**rci ma m**è**re,
Dans une ch**ai**se en Anglet**err**e.

8 Sal**ut** Lulu! **Tu** as **u**ne tort**ue**,
S**ur** un m**ur**, s**ur** un m**ur**,
Un p**u**ma dans **u**ne petite voit**u**re,
Des l**u**nettes et des chauss**u**res.

9 Un gr**and** serp**ent** m**an**ge un petit croiss**ant**,
Une or**an**ge, une or**an**ge,
Quar**an**te et cinqu**an**te et soix**an**te et c**ent**,
Enf**ants** sur un éléph**ant**.

10 Deux grands chev**aux** et un petit ois**eau**,
En bat**eau**, en bat**eau**,
Mon cad**eau** est un bon jeu vidé**o**,
Un gât**eau** et un chât**eau**.

11 Mon s**ou**venir est un petit l**ou**l**ou**,
Bonj**ou**r L**ou**p, Bonj**ou**r L**ou**p,
Le kang**ou**r**ou** et la s**ou**ris sont f**ous**,
Savez-v**ous** planter les ch**oux**?

12 Il y a v**ingt** lap**ins** dans le jard**in**,
Qu**in**ze p**in**gou**ins**, qu**in**ze p**in**gou**ins**,
Voilà un tr**ain** pl**ein** de beurre et de p**ain**,
A c**inq** heures du mat**in**.

Chantez Plus Fort!

La chanson du non-sens

Rosemary BEVIS et Martial ROMANTEAU

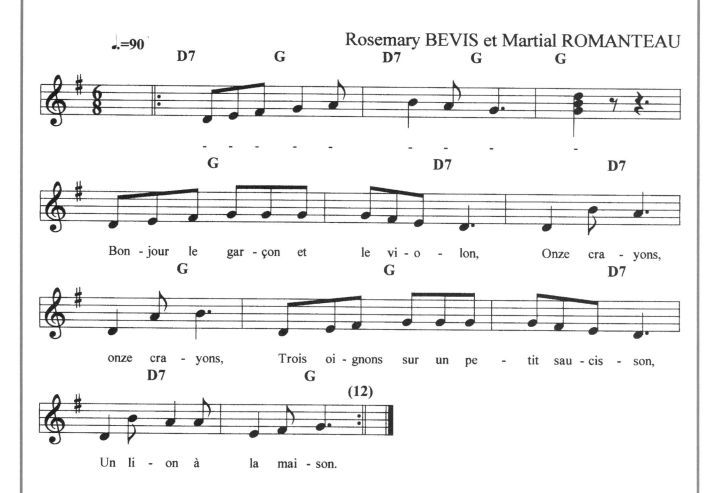

Bon - jour le gar - çon et le vi - o - lon, Onze cra - yons,

onze cra - yons, Trois oi - gnons sur un pe - tit sau - cis - son,

Un li - on à la mai - son.

La chanson des listes (Partie A)

En classe

1
Dans mon sac ...
Dans mon sac,
J'ai un crayon ...
J'ai un crayon
Un taille-crayon ...
Un taille-crayon,
Et de la colle ...
Et de la colle.

2
J'ai une règle ...
J'ai une règle,
J'ai des feutres ...
J'ai des feutres,
J'ai un stylo ...
J'ai un stylo,
Et des ciseaux ...
Et des ciseaux.

3
J'ai une trousse ...
J'ai une trousse,
J'ai une gomme ...
J'ai une gomme,
J'ai un compas ...
J'ai un compas,
Mais pas de chewing-gum!
Mais pas de chewing-gum!

Chantez Plus Fort!

La chanson des listes (Partie B)

Le temps

4
Au printemps ...
Au printemps,
Il fait beau ...
Il fait beau,
Il y a du vent ...
Il y a du vent,
Et il pleut ...
Et il pleut.

5
En été ...
En été,
Il fait beau ...
Il fait beau,
Il y a du soleil ...
Il y a du soleil,
Il fait chaud ...
Il fait chaud.

6
En automne ...
En automne,
Il fait mauvais ...
Il fait mauvais,
Il y a du brouillard ...
Il y a du brouillard,
Et il pleut ...
Et il pleut.

7
En hiver ...
En hiver,
Il fait mauvais ...
Il fait mauvais,
Il fait froid ...
Il fait froid,
Il gèle, il neige ...
Il gèle, il neige.

La chanson des listes

Rosemary BEVIS et Martial ROMANTEAU

Dans mon sac... dans mon sac,

J'ai un cra -yon... j'ai un cra -yon, Un taille - cra -yon... un taille - cra -yon, Et de la colle...

et de la colle. (3)

Au prin -temps... au prin -temps, Il fait beau... il fait beau, Il y a du vent... il y a du vent,

Et il pleut... et il pleut. (4)

Chantez Plus Fort!

Quelle heure est-il?

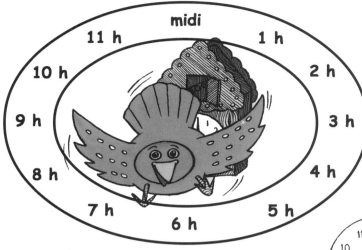

1 Quelle heure est-il ?
Il est huit heures,
A huit heures du matin, je mange du pain !

Le matin, l'après-midi, le soir, la nuit.
Une heure, deux heures, trois heures, quatre heures,
cinq heures, six heures, sept heures, huit heures,
neuf heures, dix heures, onze heures, midi.

2 Quelle heure est-il ?
Quatre heures et demie,
A quatre heures et demie, l'école est finie !
(Refrain)

3 Quelle heure est-il ?
Il est sept heures,
A sept heures du soir, je fais mes devoirs !
(Refrain)

4 Quelle heure est-il ?
Il est minuit,
La nuit à minuit, je suis dans mon lit !
(Refrain)

Quelle heure est-il?

Rosemary BEVIS et Martial ROMANTEAU

Chantez Plus Fort!

Vive le vent

Vive le vent, vive le vent,
Vive le vent d'hiver,
Qui s'en va, sifflant, soufflant
Dans les grands sapins verts.

Oh!

Vive le vent, vive le vent,
Vive le vent d'hiver,
Boules de neige et Jour de l'An
Et Bonne Année Grand-mère !

Notre beau cheval blanc,
S'élance sur la neige,
Glissant comme une flèche,
Par les bois et par les champs.

Tout autour du harnais
S'agitent les clochettes,
Nous partons à la fête
Bonne Année! chantons gaiement.

(Refrain)

Chantez Plus Fort!

Vive le vent

Traditionnel Noël

♩=80

Viv' le vent, viv' le vent, viv' le vent d'hi-ver,

Qui s'en va, sif-flant, souf-flant Dans les grands sa-pins verts. Oh! Viv' le vent, viv' le vent,

viv' le vent d'hi-ver, Boules de neige et Jour de l'An et Bonne An-née Grand-mère! No-tre

beau che-val blanc, s'é-lan-ce sur la nei-ge, Glis-sant comme u-ne flè-che, Par les

bois et par les champs. Tout au-tour du har-nais S'a-gi-tent les clo-chet-tes, Nous

par-tons à la fê-te. Bonne An-née, chan-tons gaie-ment. Viv' le vent, viv' le vent,

viv' le vent d'hi-ver, Qui s'en va, sif-flant, souf-flant Dans les grands sa-pins verts. Oh!

Viv' le vent, viv' le vent, viv' le vent d'hi-ver, Boules de neige et Jour de l'An et

Bonne An-née Grand-mère!

Chantez Plus Fort!

Ma mère m'a donné un petit chat

1 *Ma mère m'a donné un petit chat*
Mon dieu quelle bête, quelle drôle de bête,
Ma mère m'a donné un petit chat
Mon dieu quelle bête, que ce chat-là !

2 *Il griffait ma joue et mes bras*
Mon dieu quelle bête, quelle drôle de bête,
Il griffait ma joue et mes bras
Mon dieu quelle bête, que ce chat-là !

3 *Il déchirait robes et bas*
Mon dieu quelle bête, quelle drôle de bête,
Il déchirait robes et bas
Mon dieu quelle bête, que ce chat-là !

4 *Il mangeait tout mon chocolat*
Mon dieu quelle bête, quelle drôle de bête,
Il mangeait tout mon chocolat
Mon dieu quelle bête, que ce chat-là !

5 *Il s'enfuyait devant les rats*
Mon dieu quelle bête, quelle drôle de bête,
Il s'enfuyait devant les rats
Mon dieu quelle bête, que ce chat-là !

6 *Jamais de ma vie je n'ai tant ris*
Mon dieu quelle bête, quelle drôle de bête,
Jamais de ma vie je n'ai tant ris
Mon dieu quelle bête, que ce chat-là !

Ma mère m'a donné un petit chat

Traditionnel

♩.=100

Ma mère m'a don - né un p'tit chat, Mon Dieu quelle bête, quelle drôle de bê - te,

Ma mère m'a don - né un p'tit chat, Mon Dieu quelle

bête, que ce chat - là! là!

1.2.3.4.5.

6.

Chantez Plus Fort!

C'est Gugusse

1 C'est Gugusse avec son violon,
Qui fait danser les filles,
Qui fait danser les filles,
C'est Gugusse avec son violon,
Qui fait danser les filles
et les garçons.

Mon Papa ne veut pas
Que je danse, que je danse,
Mon Papa ne veut pas
Que je danse la polka

2 C'est Gugusse avec sa guitare,
Qui fait danser les filles,
Qui fait danser les filles,
C'est Gugusse avec sa guitare,
Qui fait danser les filles
et les garçons.
(Refrain)

3 C'est Gugusse avec son piano,
Qui fait danser les filles,
Qui fait danser les filles,
C'est Gugusse avec son piano,
Qui fait danser les filles
et les garçons.
(Refrain)

Ne danse pas
la polka!

Chantez Plus Fort!

C'est Gugusse

♩=138

Traditionnel

- - - - - - - - C'est Gu-

- gusse a-vec son vio - lon, Qui fait dan-ser les fil-les, Qui

fait dan-ser les fil-les, C'est Gu - gusse a-vec son vio-

- lon, qui fait dan-ser les filles et les gar - çons.

Mon pa-pa ne veut pas Que je dan-se

Que je dan-se, Mon pa-pa ne veut pas

Que je dan-se la pol-ka.

Chantez Plus Fort!

Sur le pont d'Avignon

Sur le pont d'Avignon, on y danse, on y danse,
Sur le pont d'Avignon, on y danse, tous en rond.

1 Les beaux messieurs font comme ça,
Et puis encore comme ça.
(Refrain)

2 Les belles dames font comme ça,
Et puis encore comme ça.
(Refrain)

3 Les beaux garçons font comme ça,
Et puis encore comme ça.
(Refrain)

4 Les belles filles font comme ça,
Et puis encore comme ça.
(Refrain)

5 Les petits chats font comme ça,
Et puis encore comme ça.
(Refrain)

6 Les grands chiens font comme ça,
Et puis encore comme ça.
(Refrain)

7 Les extra-terrestres font comme ça,
Et puis encore comme ça.
(Refrain)

Chantez Plus Fort!

Sur le pont d'Avignon

Traditionnel

♩=95

Chantez Plus Fort!

Petits dialogues

1 Comment ça va ? (Greetings)
● Ça va Manon ?
■ Ah non, ça ne va pas ! Aiee! Ça va mal !

● Salut !
■ Salut !
● Alors, ça va ?
■ Ça va, et toi ?
● Oh oui. Ça va bien.
■ Au revoir !

● Ça va Manon ?
■ Ah non, ça ne va pas ! Aiee ! Ça va très mal !

2 Quel âge as-tu ? (Names and ages)
■ Salut ! Je m'appelle Jérémie et j'ai neuf ans, et toi ?
● Salut! Je m'appelle Manon. J'ai onze ans.

3 Nous allons compter ! (Numbers)
● Nous allons compter de zéro à dix: zéro, un, deux, trois, quatre, cinq, six, sept, huit, neuf, dix !

4 C'est combien ? (Numbers and maths)
■ Nous allons faire les maths. Combien font dix plus deux, Footfoot ?
● Sept.
■ Ah non !
● Huit.
■ Combien font dix et deux Perrine ?
● Douze.
■ Très bien !

5 Voici les sept jours de la semaine (Days of the week)
● On est vendredi aujourd'hui ?
■ Mais non ! On est samedi.
● Samedi ? C'est super ! J'ai un match.

6 Quelle est la date ? (Birthdays)
● Quelle est la date de ton anniversaire ?
■ C'est le quinze juillet, et toi ?
● Mon anniversaire est le dix-neuf avril.

7 Comment ça s'écrit ? (Spelling)
● Comment tu t'appelles ?
■ Je m'appelle Manon.
● Comment ça s'écrit ?
■ M-A-N-O-N. Comment tu t'appelles ?
● Footfoot.
■ Comment ça s'écrit ?
● F-O-O-T-F-O-O-T.

8 Les couleurs (Favourite colours)
● Quelle est ta couleur préférée?
■ Ma couleur préférée...est le bleu. Allez les bleus ! (Come on you blues !)

9 Ma famille Souris (Brothers and sisters)
● Tu as des frères ?
■ Oui, j'ai un frère.
● Tu as des soeurs ?
■ Non, je n'ai pas de soeur.

10 Footfoot, tu as an animal ? (Pets)
● Tu as un animal ?
■ J'ai deux grands chiens noirs et beaucoup de poissons.

11 Je me présente (Myself – name and where I live)
■ Comment tu t'appelles ?
● Je m'appelle Marion, et toi ? Comment t'appelles-tu ?
■ Je m'appelle Perrine. Où habites-tu ?
● J'habite à Leeds en Angleterre. Où habites-tu ?
■ A Paris, en France.

12 Miam, miam, c'est délicieux (Food and drink)
● Bonjour Monsieur ! Vous désirez ?
■ Je voudrais un gâteau, s'il vous plaît.

15 La chanson des listes (Weather)
● Quel temps fait-il aujourd'hui ?
■ Il y a du soleil, il fait chaud.

English translations

1 Hi ! How are you ?

1 Hello, are you OK?
Hi, are you OK?
OK, OK, OK!
OK, OK, OK!

2 I'm fine!
I'm fine!
I'm fine I'm fine I'm fine!
I'm fine I'm fine I'm fine!

3 I'm so-so!
I'm so-so!
Things aren't too bad!
Things aren't too bad!

4 Things aren't good!
Things aren't good!
Things aren't, things aren't good!
Things aren't, things aren't good!

5 Things are bad!
Things are bad!
Things are, things are bad!
Things are, things are bad!

6 Hello, are you OK?
Hi, are you OK?
Goodbye, goodbye, goodbye!
Goodbye, goodbye, goodbye!

2 How old are you ?

1 Hi! Hi!
How old are you?
My name is Manon
I'm 8 years old, hi!

2 Hi! Hi!
How old are you?
My name is Alex
I'm 9 years old, hi!

3 Hi! Hi!
How old are you?
My name is Marion
I'm 10 years old, hi!

4 Hi! Hi!
How old are you?
My name is Lucien
I'm 11 years old, hi!

5 Hi! Hi!
How old are you?
_____

3 We're going to count !

1 *We're going to count!*
One, two, three,
We're going to count!
Four, five, six,
We're going to count!
Seven, eight, nine,
We're going to count!
Ten, eleven, twelve.

2 Ten red apples in a basket,
Nine red apples in a basket,
Eight red apples in a basket,
Seven red apples in a basket,

3 Six red apples in a basket,
Five red apples in a basket,
Four red apples in a basket,
Three red apples in a basket,

4 Two red apples in a basket
One red apples in a basket
No red apples in a basket
One huge fat caterpillar in a basket!

5 *We're going to count!*
Thirteen, fourteen,
We're going to count!
Fifteen, sixteen,
We're going to count!
Seventeen, eighteen,
We're going to count!
Nineteen, twenty.

6 *We're going to count!*
Twenty one, twenty two,
We're going to count!
Twenty three, twenty four, twenty five,
We're going to count!
Twenty six, twenty seven, twenty eight,
We're going to count!
Twenty nine and thirty … thirty one!

7 *We're going to count!*
Ten, twenty, thirty,
We're going to count!
Forty, fifty, sixty,
We're going to count!
Seventy,
We're going to count!
Eighty.

8 *We're going to count!*
Ninety,
We're going to count!
Ninety five,
We're going to count!
Ninety nine,
We're going to count!
Up to 100.

4 How much is it ?

1 Two and two makes four,
Three and three makes six,
Four and four makes eight,
Five and five makes ten.

How much is it? How much is it? How much is it?

2 Twelve minus two makes ten,
Twenty minus five makes fifteen,
Fifteen minus four makes eleven,
Sixteen minus three makes thirteen.
(Chorus)

3 Two times five makes ten,
Two times ten makes twenty,
Four times four makes sixteen,
Three times ten makes thirty.
(Chorus)

4 Ten divided by two makes five,
Nine divided by three makes three,
Fifteen divided by five makes three,
Sixteen divided by four makes four.
(Chorus)

5 The seven days of the week

Here are the seven days, the seven days of the week
Here are the seven days of the week,

Monday, Tuesday,
Wednesday, Thursday,
Friday are OK!
Saturday is super, Sunday is great!

Monday, Tuesday,
Wednesday, Thursday,
Friday, Saturday and Sunday!

(Repeat 2 times)

6 What is the date ?

January, February and March
April, May and June ,
July, August, September,
October, November,
December.

1 What is the date of your birthday?
January, February and March,
My birthday is the 12th February.

2 What is the date of your birthday?
April, May and June,
My birthday is the 21st April.

3 What is the date of your birthday?
July, August, September,
My birthday is the 14th July.

4 What is the date of your birthday?
October, November, December,
My birthday is the 17th November.
(Chorus)

7 How is it spelt ?

Part 1

1 A B C C C
Here's the alphabet
A B C C C, A B C

2 D E F G G
The French alphabet
D E F G G, D E F G

3 H I J J J
How is it spelt?
H I J J J, H I J

4 K L M N O
Yum, yum, a cake
K L M N O, K L M N O

5 P Q R S T
A nice cup of tea
P Q R S T, P Q R S T

6 U V W
Some chocolate, please
U V W, U V W
X Y Z, X Y Z

Part 2

7 What's your name?
My name is Gigi
How's it spelt?
G - I - G - I
My name is Gigi

8 What's your name?
My name is Henri
How do you spell it?
H - E - N - R - I
My name is Henri

9 What's your name?
My name is Claire
How's it spelt?
C - L - A - I - R - E
My name is Claire

10 What's your name?
My name is Patrick
How do you spell it?
P - A - T - R - I - C - K
My name is Patrick

11 What's your name?
_____
How's it spelt?
_____

8 Colours

1 Show me a little red triangle…
Show me a little blue rectangle…
Show me a little black circle…
Show me a little purple square…

What colour is a rainbow?
Red, orange, yellow, green, blue and purple.

Chantez Plus Fort!

8 Colours (continued)

2 Show me a big pink triangle…
Show me a big white rectangle…
Show me a big yellow circle…
Show me a big green square…
(Chorus)

3 Colour the little triangles in pink…
Colour the little rectangles in blue…
Colour the little circles in black…
Colour the little squares in green…
(Chorus)

4 Colour the big triangles in red…
Colour the big rectangles in green…
Colour the big circles in yellow…
Colour the big squares in blue…
(Chorus)

9 The Mouse family

1 I live in a little house,
I am a little mouse,
I live in a little house,
With my big family.

2 I have a sister and a brother,
Oh yes, in my Mouse family,
I love my brother and my sister,
This is my Mouse family.

3 Here's my sister, she is tiny,
And she is called Mimi,
She is pretty, she is naughty,
This is my little sister Mouse.

4 Here's my brother, he is very big,
And his name is Jean-Louis,
He is handsome, he is clever,
This is my big brother Mouse.

5 Here's my Dad, he is kind,
And his name is Henri,
Here's my Mum, she is charming,
And her name is Marie.

6 My Grandpa and my Grandma,
My mother and my father mouse,
My uncle, my aunt, my mouse cousins,
This is my Mouse family.

10 Footfoot, have you any pets ?

1 Footfoot, have you any pets at home?
I've got a big brown horse
I've got a big brown horse!

Oh oh! I've, I've, I've got an animal -mal -mal,
I love, love, love animals!

2 Footfoot, have you any pets at home?
I've, I've got two little black dogs
I've, I've got two little black dogs!
(Chorus)

3 Footfoot, have you any pets at home?
I've, I've got three big tabby cats
I've , I've got three big tabby cats!
(Chorus)

4 Footfoot, have you any pets at home?
I've got four little yellow birds
I've got four little yellow birds!
(Chorus)

5 Footfoot, have you any pets at home?
I've, I've got five big grey rabbits
I've, I've got five big grey rabbits!
(Chorus)

6 Footfoot, have you any pets at home?
I've got lots of goldfish
I've got lots of goldfish!
(Chorus)

7 Footfoot, have you any pets at home?
I've got lots of goldfish
I've, I've got five big grey rabbits
I've got four little yellow birds
I've, I've got three big tabby cats
I've, I've got two little black dogs
I've got a big brown horse!
(Chorus)
I love, love, love animals!

11 All about me

1 My name is Mark and I am ten,
I live in Leeds in England,
My birthday is the 5th May,
I like red and purple.

I have one sister and one brother,
I've got a rabbit and a guinea pig,
I like my bike,
I like drawing,
But I hate dancing!

2 My name is Claire and I am nine,
I live in Besançon in France,
My birthday is the 15th March,
I like red and purple.

I have one brother and no sisters,
I've got a little cat and a hamster,
I like music,
I like reading,
But I hate dancing!

3 My name is Anne and I'm eleven,
I live in Glasgow in Scotland,
My birthday is the 16th August,
I like red and purple.

I have two sisters and no brothers,
I have two big dogs and five fish,
I like the telly,
I like football,
But I hate dancing!

12 Yum, yum, this is delicious !

1 Good day, Madame, what can I get you?
I would like a sandwich please.
Here you are Madame, is that all?
Yes, that's all, thank you.

Yum, yum, this is delicious, ice creams, croissants, cakes, and sweets,
Yum, yum, this is delicious, ice creams, croissants, cakes, and sweets.

2 Good day, Monsieur, what can I get you?
I would like a fizzy drink please.
Here you are Monsieur, is that all?
Yes, that's all, thank you.
(Chorus)

3 Good day, Mademoiselle, what can I get you?
I would like a croissant please.
Here you are Mademoiselle, is that all?
Yes, that's all, thank you.
(Chorus)

4 Good day, Monsieur, what can I get you?
I would like a cake please.
Here you are Monsieur, is that all?
Yes, that's all, thank you.
(Chorus)

13 Simon Says

Ooh! Stand up, stand up,
Sit down, sit down,
Look at me, look at me,
Be quiet and listen!

1 Put your hand up, put your hand down,
Shut your eyes, open your eyes,
Fold your arms and be quiet,
Listen carefully and repeat.

2 Reply yes or no, touch the table,
Do you understand? I don't understand,
Find a partner, hurry up,
Sit up properly.
(Chorus)

3 Pick up a pen, write neatly,
Pick up a pencil and draw,
Pick up the scissors, cut straight,
Pick up the glue, it's well stuck.
(Chorus)

4 Shut your books, tidy the table,
All stand up, push in your chairs,
Go out of the room, quietly/ calmly,
Goodbye everyone, goodbye, goodbye.
(Chorus)

14 The nonsense song

1 Hello boy and violin,
eleven pencils, eleven pencils,
Three onions on a little sausage,
A lion in the house.

I am a monkey and I like judo,
2 Hello Jean, hello Jean,
I've got a red nose and a sore knee,
I am ten, how old are you?

Here are three fish and a black bird,
3 Three, two, one, one, two three.
Fold your arms, raise your hand (finger),
Goodbye and goodbye.

In a large cabbage there is a caterpillar,
4 On a chair, on a chair,
The little pig is wearing a hot hat,
A dog in socks.

Chantez Plus Fort!

14 The nonsense song (continued)

5 Happy Christmas, Happy New Year, Best Wishes!
A big game, a big game,
Happy Easter and
nineteen little eggs
Two blue eyes in my hair!

6 I'm going to Paris with my family,
In a taxi, in a taxi,
Monday I laughed at a basket of rice,
A lion eating a biscuit.

7 Here's my little brother eating thirteen éclairs,
Happy Birthday, Happy Birthday!
Thank you dad and thank you mum,
In a chair in England.

8 Hi Lulu! You have a tortoise,
On a wall, on a wall,
A puma in a little car,
Glasses and socks.

9 A big snake eating a little croissant,
An orange, an orange,
Forty and fifty and sixty and one hundred,
Children on an elephant.

10 Two big horses and one little bird,
In a boat, in a boat,
My present is a great video game,
A cake and a castle.

11 My souvenir is a little poodle,
Hello Wolf, hello Wolf,
The kangaroo and the mouse are mad,
Do you know how to plant cabbages?

12 There are twenty rabbits in the garden,
Fifteen penguins, fifteen penguins,
Here is a train full of bread and butter ,
At five o'clock in the morning.

15 Lists

Part 1 – In class

1 In my bag…
In my bag,
I have a pencil…
I have a pencil,
A pencil sharpener…
A pencil sharpener,
And some glue…
And some glue.

2 I have a ruler…
I have a ruler,
I have some felts…
I have some felts,
I have a pen…
I have a pen,
And some scissors…
And some scissors.

3 I have a pencil-case…
I have a pencil-case,
I have a rubber…
I have a rubber,
I have a compass…
I have a compass,
But no chewing gum…
But no chewing gum.

Part 2 – The weather

4 In spring…
In spring,
It's fine…
It's fine,
It's windy…
It's windy,
And it rains…
And it rains.

5 In summer…
In summer,
It's fine…
It's fine,
It's sunny…
It's sunny,
It's warm…
It's warm.

6 In autumn…
In autumn,
It's bad weather…
It's bad weather,
It's foggy…
It's foggy,
And it rains…
And it rains.

7 In winter…
In winter,
It's bad weather…
It's bad weather,
It's cold…
It's cold,
It's freezing, it snows…
It's freezing, it snows.

16 What's the time ?

1 o'clock, 2 o'clock, 3 o'clock,
4 o'clock, 5 o'clock, 6 o'clock,
7 o'clock, 8 o'clock, 9 o'clock,
10 o'clock, 11 o'clock, midday.

1 What's the time?
It's eight o'clock,
At eight o'clock I eat some bread!

Morning, afternoon, evening and night
One o'clock, two o'clock, three o'clock, four o'clock, five o'clock, six o'clock, seven o'clock, eight o'clock, nine o'clock, ten o'clock, eleven o'clock, midday.

2 What's the time?
It's four thirty,
At four thirty school is over!
(Chorus)

3 What's the time?
It's seven o'clock,
At seven o'clock in the evening I do my homework!
(Chorus)

4 What's the time?
It's midnight,
At midnight I'm in bed!
(Chorus)

17 Jingle bells (Hooray for the wind)

Hooray for the wind, hooray for the wind,
Hooray for the winter wind,
That whistles and blows through the great pine trees.

Oh!

Hooray for the wind, hooray for the wind,
Hooray for the winter wind,
Snowballs and New Year's Day Happy New Year Grandma!

Our lovely white horse,
Rushes through the snow,
Sliding like an arrow,
Through the wood and fields

All around the harness
Little bells are ringing,
We're off to the party
Happy New Year, let's gaily sing.

(Chorus)

18 My mother gave me a little cat

1 My mother gave me a little cat, what a funny cat,
My mother gave me a little cat, what a funny cat!

2 It scratched my cheek and my arms, what a funny cat,
It scratched my cheek and my arms, what a funny cat!

3 It tore my dresses and stockings, what a funny cat,
It tore my dresses and stockings, what a funny cat!

4 It ate all my chocolate, what a funny cat,
It ate all my chocolate, what a funny cat!

5 It ran away from the rats, what a funny cat,
It ran away from the rats, what a funny cat!

6 I have never laughed so much in my life, what a funny cat,
I have never laughed so much in my life, what a funny cat!

19 It's Gugusse

1 It's Gugusse with his violin,
Who makes the girls dance,
Who makes the girls dance,
It's Gugusse with his violin,
Who makes the girls and boys dance.

My papa doesn't want me to dance, to dance
My papa doesn't want me to dance the polka

2 It's Gugusse with his guitar,
Who makes the girls dance,
Who makes the girls dance,
It's Gugusse with his guitar,
Who makes the girls and boys dance.
(Chorus)

3 It's Gugusse with his piano,
who makes the girls dance,
who makes the girls dance,
It's Gugusse with his piano,
Who makes the girls and boys dance.
(Chorus)

20 On the bridge at Avignon

On the Bridge at Avignon, everybody dances, everybody dances,
On the Bridge at Avignon, everybody dances, in a circle.

1 The fine gentlemen go like this,
And again like this.
(Chorus)

2 The lovely ladies go like this,
And again like this.
(Chorus)

3 The handsome boys go like this,
And again like this.
(Chorus)

4 The beautiful girls go like this,
And again like this.
(Chorus)

5 The little cats go like this,
And again like this.
(Chorus)

6 The big dogs go like this
And again like this.
(Chorus)

7 The space aliens go like this,
And again like this.
(Chorus)

Chantez Plus Fort!